勇敢做自己
you Be you

[美] 琳达·克兰兹 著/绘　薛亚男 译

北京科学技术出版社

You Be You by Linda Kranz

Copyright Text and Illustrations © 2011 by Linda Kranz

All rights reserved.

Published by agreement with the Rowman & Littlefield Publishers through the Chinese Connection
Agency, a division of The Yao Enterprises, LLC.

Simplified Chinese Translation Copyright © 2012 by Beijing Science and Technology Press

著作权合同登记号　　　图字：01-2012-7541

图书在版编目（CIP）数据

勇敢做自己 ／（美）克兰兹著；薛亚男译. —北京：北京科学技术出版社，2013.2（2020.5 重印）
书名原文：You Be You
ISBN 978-7-5304-6363-5
Ⅰ．①勇… Ⅱ．①克… ②薛… Ⅲ．①儿童文学－图
画故事－美国－现代 Ⅳ．①I712.85
中国版本图书馆CIP数据核字(2012)第286117号

勇敢做自己

作者绘者：〔美〕琳达·克兰兹	策　　划：杨　迪
译　　者：薛亚男	责任编辑：白　林
责任印制：张　良	图文制作：北京博雅思企划有限公司
出 版 人：张敬德	出版发行：北京科学技术出版社
社　　址：北京西直门南大街16号	邮政编码：100035
电话传真：0086-10-66161951（总编室）	
0086-10-66113227（发行部）	电子信箱：bjkjpress@163.com
0086-10-66161952（发行部传真）	经　　销：新华书店
网　　址：www.bkjpress.com	开　　本：889mm×1020mm 1/16
印　　刷：北京捷迅佳彩印刷有限公司	印　　张：2.25
版　　次：2013年2月第1版	印　　次：2020年5月第31次印刷

ISBN 978-7-5304-6363-5/I · 225

定价：29.00元

京科版图书，版权所有，侵权必究。
京科版图书，印装差错，负责退换。

丹尼在水中跳跃、滑行。
脸上挂着最纯净的喜悦。
他已经出海探索了一整天，
是时候该回家了。

当他穿过海浪朝家的方向游去时，
他不禁发现——

有些鱼游向左边，

　　　　有些鱼游向右边。

有些鱼

围成圈，

有些鱼排成线。

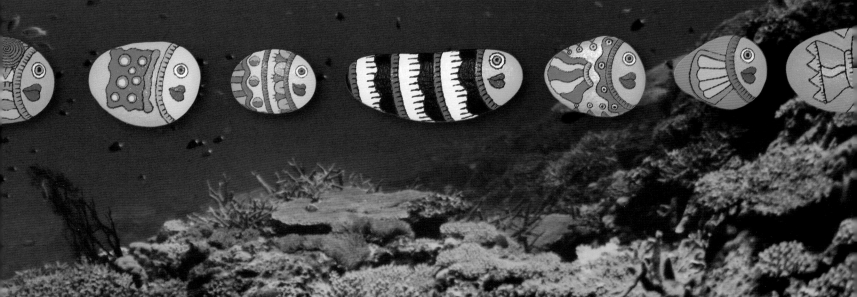

有些鱼向上游，
有些鱼向下游。

有些鱼悄无声息，
有些鱼大吵大闹。

有些鱼五颜六色，

有些鱼朴素淡雅。

有些鱼与众不同，

有些鱼相差无几。

有些鱼体型庞大，
  有些鱼小巧玲珑。

有些鱼浑身光滑，
有些鱼尖刺遍体。

有些鱼游在水面，

有些鱼停在水底。

有些鱼
成群结队，

有些鱼
独自畅游。

有些鱼红如骄阳，

有些鱼蓝似深海。

有些鱼
　　喜欢阳光明媚，

有些鱼
　偏爱月光皎洁。

丹尼回来了，爸爸妈妈笑容满面。

他急切地想要告诉他们旅行中的所见所闻。
爸妈也听得全神贯注。

"鱼可真多呀！"丹尼说。
"每条鱼都有值得分享的特别之处。"

爸爸点点头说："我们互相分享，可以学到很多东西。"
他微笑着说，"在蓝色的大海里，有数以万计的鱼，
而每条鱼都是独特的。
这些鱼一起组成了我们这个多彩而美丽的世界。"

"生命是一个漫长的旅途，丹尼。"妈妈说。
"你要勇敢做自己。"